Paris, musée du Louvre
13 octobre 2011 –
16 janvier 2012

Au royaume d'Alexandre le Grand
La Macédoine antique

sous la direction de
Sophie Descamps-Lequime
assistée de
Katerina Charatzopoulou

textes de
Polyxéni Adam-Véléni, Sophie Descamps-Lequime,
Marianne Hamiaux, Despina Ignatiadou,
Violaine Jeammet, Angéliki Kottaridi,
Angéliki Koukouvou, Ludovic Laugier,
Maria Lilimpaki-Akamati, Katerina Peristéri,
Sémélé Pingiatoglou, Katerina Rhomiopoulou,
Thomaïs Savvopoulou, Kostas Sismanidis,
Élisabeth-Bettina Tsigarida, Katerina Tzanavari.

L'exposition
« Au royaume d'Alexandre le Grand.
La Macédoine antique »
est placée sous le haut patronage de

Monsieur Nicolas Sarkozy
Président de la République Française

Monsieur Karolos Papoulias
Président de la République Hellénique

LOUVRE
éditions

SOMOGY
ÉDITIONS
D'ART

La richesse du patrimoine artistique de la Grèce du Nord est encore ignorée du grand public tant les découvertes sont récentes. Il a fallu attendre 1977 et la mise au jour à Vergina de plusieurs sépultures royales, parmi lesquelles celle, intacte, de Philippe II, le père d'Alexandre le Grand, pour prendre véritablement conscience du potentiel archéologique exceptionnel de cette région de la Grèce. Sur ce site prestigieux, identifié avec celui de la première capitale du royaume de Macédoine, les archéologues ont retrouvé en 1982 le théâtre où Philippe fut assassiné, en 336 av. J.-C., puis, en 1987, une tombe qui pourrait être celle d'Eurydice, grand-mère d'Alexandre, ou encore en 2008 et en 2009 des ensevelissements énigmatiques qui imposeront sans doute de réécrire l'histoire antique.

C'est véritablement à un rythme hors du commun, dont témoignent l'importance et la diversité des trouvailles, qu'évolue l'archéologie de la Grèce du Nord. Les fouilles de plusieurs nécropoles macédoniennes ont révélé ainsi le faste d'une classe de notables et d'une élite proche des rois, et l'élaboration, dès la deuxième moitié du VIe siècle, d'un art de cour particulièrement raffiné. Elles ont confirmé l'intensité des échanges commerciaux entre la Macédoine et les autres régions du monde grec.

Le matériel funéraire des tombes de Sindos, près de Thessalonique, est notamment d'une richesse incomparable. Les défunts, inhumés durant le VIe siècle, étaient parés de bijoux, d'or et d'argent, décorés selon les techniques remarquablement maîtrisées du filigrane et de la granulation. Certains avaient le visage entièrement dissimulé par un masque d'or, selon une pratique inconnue en Grèce depuis l'époque des tombes à fosse de Mycènes aux XVIIe et XVIe siècles avant notre ère. Une nécropole d'une richesse plus importante encore, avec des armes, des ustensiles, des éléments de parure et des masques d'or d'un autre type, est fouillée depuis 2000 à Archontiko, aux environs de Pella, la seconde capitale du royaume. Le contenu des sépultures macédoniennes de la fin du IVe siècle et du début du IIIe siècle illustre l'afflux des richesses à la suite des conquêtes d'Alexandre.

L'exposition présente près de cinq cents œuvres, dont plusieurs inédites, et retrace l'histoire de la Macédoine antique depuis le XVe siècle avant notre ère jusqu'à l'époque romaine impériale, avec des temps forts liés aux règnes des souverains les plus importants. Elle aura pour but d'expliquer en particulier la montée en puissance du royaume de Macédoine face à la Grèce des cités. Sans l'intelligence politique et l'ambition de certains de ses rois, sans l'exceptionnelle envergure stratégique de Philippe II, roi réformateur, les conditions d'une expansion vers l'Est n'auraient pas été réunies, et Alexandre III n'aurait pu, à vingt ans, partir à la conquête de l'Orient.

S D-L

Le royaume des Téménides,
de la fin du VIᵉ siècle av. J.-C.
à la mort de Philippe II (336 av. J.-C.)

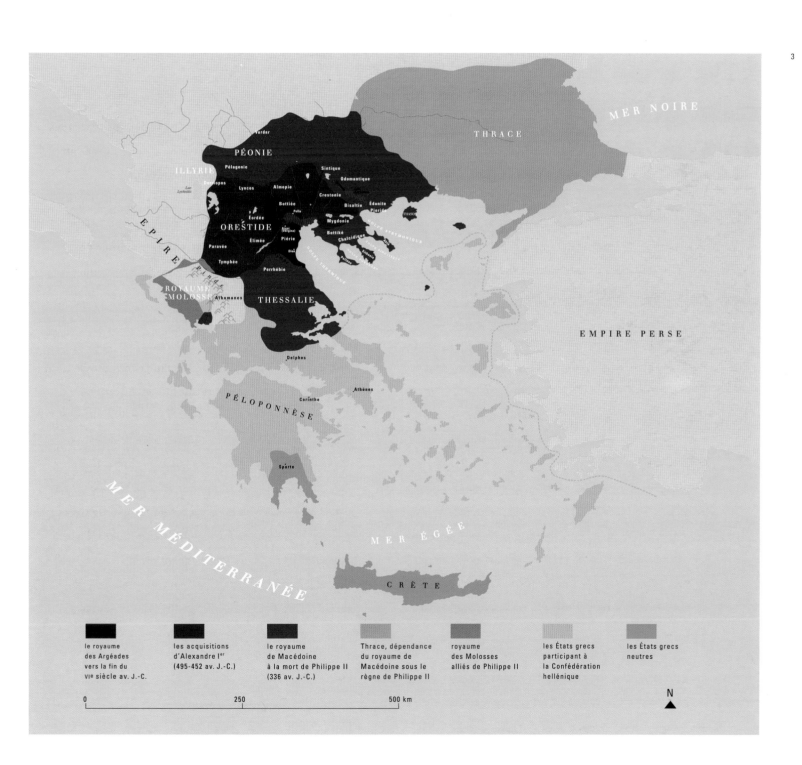

MER NOIRE

THRACE

MER MÉDITERRANÉE

ILLYRIE

PÉONIE
Vardar
Pélagonie
Dorsopos
Lyncos
Almopie
Sintique
Odomantique
Crestonie
Bisaltie
Édonite
Piérie
Bottiée
Pella
Éordée
ORESTIDE
Mygdonie
Piérie
Bottiké
Chalcidique
Élimée
Sithonie
Dion
Paravée
Pallas
Tymphée
Perrhébie
ÉPIRE
ROYAUME
MOLOSSE
Athamanes
THESSALIE
THASOS
GOLFE STRYMONIQUE
GOLFE THERMAÏQUE
Delphes
Athènes
EMPIRE PERSE
PÉLOPONNÈSE
Corinthe
Sparte
MER ÉGÉE
CRÈTE

le royaume
des Argéades
vers la fin du
VIᵉ siècle av. J.-C.

les acquisitions
d'Alexandre Iᵉʳ
(495-452 av. J.-C.)

le royaume
de Macédoine
à la mort de Philippe II
(336 av. J.-C.)

Thrace, dépendance
du royaume de
Macédoine sous le
règne de Philippe II

royaume
des Molosses
alliés de Philippe II

les États grecs
participant à
la Confédération
hellénique

les États grecs
neutres

0   250   500 km

N

Mosaïque de la chasse au lion

dernier quart du IVᵉ siècle av. J.-C.
découverte : Pella, maison du Dionysos,
salle de banquet au nord-ouest de la cour sud
galets de rivière et terre cuite
H. 184 ; L. 339 cm

PELLA, MUSÉE ARCHÉOLOGIQUE

copie à l'échelle 1/1

Le sujet représenté est une chasse au lion. Deux jeunes chasseurs, placés de part et d'autre d'un lion, s'apprêtent à le blesser. Le jeune homme à droite, en appui sur sa jambe droite fléchie, élève une épée au-dessus de sa tête et tient le fourreau de la main gauche. Son corps est figuré de trois quarts ; son visage, de profil. Il est vêtu d'une *chlamyde* gonflée par le vent. Le jeune homme à gauche a une épée dans son fourreau dans la main gauche tandis que sa main droite brandit une lance. Son corps est vu presque entièrement de face et son visage de trois quarts. Il porte une *chlamyde*, gonflée sur l'arrière, et est coiffé d'un pétase. Le lion, orienté vers la gauche et la tête tournée vers le jeune homme derrière lui, est représenté de trois quarts.

L'irrégularité du sol multicolore montre que la scène se déroule dans un paysage montagneux. Les corps nus des jeunes gens et celui de l'animal sont blancs, tandis que de fines bandes de terre cuite en tracent les contours. Le modelé des corps est rendu par des lignes grises rehaussées d'ombres légères en galets de même couleur. Des galets rouges et jaunes ont été utilisés pour les lèvres, les cheveux, les *chlamydes*, les armes et le lion.

Ce qui frappe dans cette composition, c'est à la fois l'intensité des mouvements et l'harmonie dans la graduation des couleurs, tandis que la variété des points de vue (face, profil, trois quarts) et la dissimulation du pied gauche du jeune homme de gauche derrière la patte du lion renforcent l'impression de perspective. Si le thème iconographique de cette mosaïque a été rapproché de celui de l'offrande de Cratéros à Delphes, il paraît néanmoins plus probable que la scène a été inspirée d'un tableau figurant une chasse au lion, thème traité couramment en peinture à cette époque puisque la chasse était l'occupation préférée des rois et de l'élite de Macédoine. Ce pavement de mosaïque décorait le centre d'une salle de banquet. La composition était entourée d'une bande de perles et pirouettes d'une tresse et d'un rinceau végétal complexe.

M L - A

1

À la fin du xviiie siècle et dans la première moitié du xixe, les découvertes archéologiques demeurent aléatoires. Quelques épigraphistes philologues et numismates parcourent une région inexplorée dont les vestiges antiques – à l'exception de ceux de la ville de Philippes – sont peu lisibles sur le terrain et dispersés. Ce sont des œuvres errantes, utilisées en remploi dans des bâtiments modernes. Les consuls en poste, érudits sans être spécialistes, jouent un rôle essentiel, négociant avec les autorités locales l'enlèvement de quelques sculptures qu'ils jugent intéressantes, mais dont l'origine repose sur la tradition orale.

La première mission scientifique est menée en 1861 par Léon Heuzey sous l'égide de Napoléon III. Avec l'aide de l'architecte Honoré Daumet, il explore à Korinos une sépulture d'un type inconnu, voûtée, avec des portes de marbre, puis, à Palatitza, une tombe comparable et deux ailes d'un grand édifice.

Les fouilles grecques du xxe siècle ont confirmé l'importance exceptionnelle de la région. Manolis Andronikos, initié à l'archéologie dans les années trente par son professeur Konstantinos Rhomaios, est devenu par la suite responsable des fouilles de Vergina, nom actuel du site de Palatitza, identifié en 1968 comme étant celui d'Aigai, la première capitale de la Macédoine antique. En 1977, l'archéologue perce le secret du tumulus de 110 m de diamètre qui avait intrigué Léon Heuzey et met au jour plusieurs sépultures royales, dont celle, non profanée, de Philippe II.

En août 2008 les archéologues mettent au jour une couronne de feuilles de chêne en or, comparable à celle de Philippe II, qu'ils associent selon toute probabilité à Héraklès, l'un des deux fils d'Alexandre le Grand, assassiné après la mort de son père.

S D-L

2

Couronne de feuilles de chêne en or

seconde moitié du ive siècle av. J.-C.
découverte : Aigai (actuelle Vergina),
sanctuaire d'Eukleia (août 2008)
or
D. 16,5 et 18,5 cm ; poids 207,42 g

VERGINA, MUSÉE DES TOMBES ROYALES D'AIGAI

3
Portrait colossal de l'empereur Caracalla
(211-217 apr. J.-C.)

vers 214 apr. J.-C.

découverte : Philippes,

transporté à Drama au XVIIIᵉ siècle

atelier : Philippes

marbre de Thasos

H. 118 ; l. 52 ; ÉP. 52 cm

<small>PARIS, MUSÉE DU LOUVRE, DÉPARTEMENT DES
ANTIQUITÉS GRECQUES, ÉTRUSQUES ET ROMAINES
DON L. F. J. DESPRÉAUX DE SAINT-SAUVEUR, 1833</small>

4
Sarcophage à *kliné*, deux époux sur un lit funéraire

vers 180 apr. J.-C.

découverte : Thessalonique, 1837

atelier : Attique

marbre pentélique

H. 230 ; L. 281 ; ÉP. 112 cm

<small>PARIS, MUSÉE DU LOUVRE, DÉPARTEMENT DES
ANTIQUITÉS GRECQUES, ÉTRUSQUES ET ROMAINES
ACQUIS À THESSALONIQUE À L'INITIATIVE DE M. MYNAS
EN AOÛT 1842 ; DON AU ROI LOUIS-PHILIPPE, POUR
LE MUSÉE DU LOUVRE, PAR LE BIAIS DE M. GILLET,
CONSUL DE FRANCE À THESSALONIQUE, 1844</small>

<small>9</small>

4

La tombe A de Korinos

dernier quart du IVᵉ siècle av. J.-C.
mission L. Heuzey et H. Daumet

10

5

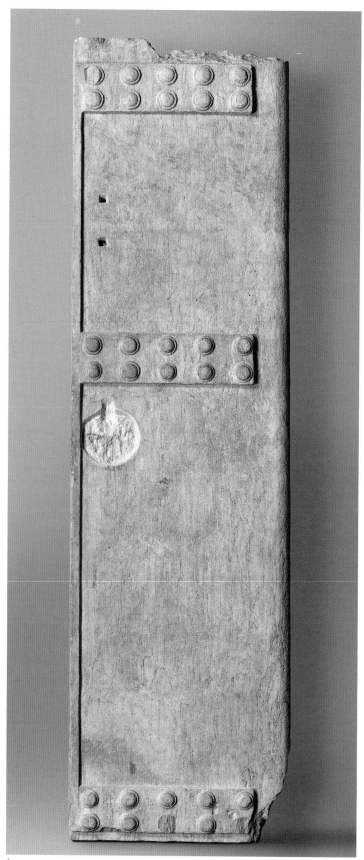

5
Applique à tête de lion

vantail droit de la porte extérieure
bronze (fonte en creux à cire perdue) et fer
D. 15,8 cm

PARIS, MUSÉE DU LOUVRE, DÉPARTEMENT DES
ANTIQUITÉS GRECQUES, ÉTRUSQUES ET ROMAINES

6
Vantail droit de
la porte de la chambre

marbre et cipolin à veines vertes de Karistos (Eubée)
H. 235 ; l. en bas 65 ; l. en haut 59 ; ÉP. 8 cm

PARIS, MUSÉE DU LOUVRE, DÉPARTEMENT DES
ANTIQUITÉS GRECQUES, ÉTRUSQUES ET ROMAINES

6

Le noyau primitif du royaume de Macédoine se trouvait au sud de l'Haliakmon, fleuve pérenne, dans la plaine fertile de Piérie. Les fouilles de la grande nécropole des tumuli témoignent de l'importance de la population qui avait fait souche à Aigai dès la première phase de l'âge du fer (XIᵉ-VIIIᵉ siècle av. J.-C.) et de l'existence d'une aristocratie guerrière.

Hérodote et Thucydide évoquent les débuts de la dynastie des Téménides au VIIᵉ siècle av. J.-C. et l'expansion de leur royaume à l'est vers le fleuve Axios, franchi au VIᵉ siècle av. J.-C.

Les fouilles révèlent aussi l'émergence d'autres dynasties royales qui reconnaîtront par la suite la suzeraineté des Téménides, telle celle qui régnait à Aiané, en haute Macédoine. Les élites étaient extrêmement riches : les défunts de Sindos et d'Archontiko de Pella étaient, au VIᵉ siècle av. J.-C., couverts d'or (bijoux, parure des vêtements, décor des armes). Les premiers d'entre eux étaient ensevelis avec des masques d'or qui rappellent la tradition mycénienne, antérieure de plus d'un millénaire.

S D-L

11

7

Casque en bronze
et masque en or

vers 520 av. J.-C.

découverte : Sindos, tombe 115

bronze et or

casque : H. 22 ; D. 20,5 ; l. de l'ouverture sur le visage 9,5 cm

masque : H. 16 ; l. 12,5 cm

THESSALONIQUE, MUSÉE ARCHÉOLOGIQUE

7

L'expansion du royaume ne fut pas linéaire. La Macédoine
connut des périodes de puissance comme de grande fragilité.
Alexandre Ier (498-454) sut traverser le conflit des guerres
médiques, donnant aux Perses des gages de son allégeance
tout en aidant Athènes. À la fin du ve siècle, Archélaos (413-399),
roi bâtisseur, invita à sa cour les plus grands artistes, parmi
lesquels le peintre Zeuxis, qui décora son palais dans la
nouvelle capitale de Pella, et Euripide, qui composa les
Bacchantes et une tragédie perdue, *Archélaos*. La première
moitié du ive siècle fut une période troublée par des conflits
dynastiques, par des velléités d'indépendance des royaumes
de haute Macédoine, par des menaces d'invasions barbares,
par les visées expansionnistes d'Athènes, par l'opposition
de la ligue chalcidienne et par les ambitions hégémoniques
de Thèbes : Philippe, le troisième fils d'Amyntas III (394-369)
fut, adolescent, otage en Béotie. En 359, à la mort sur le champ
de bataille de son frère Perdiccas III, Philippe II héritait
à 22 ans d'un royaume fragile. En une année, il restaura
l'armée macédonienne, sécurisa les frontières, domina
les royaumes de haute Macédoine. La prise d'Amphipolis
lui assura la mainmise sur les mines du mont Pangée.
Roi réformateur, il créa, sur le modèle béotien, la phalange
macédonienne, un corps de fantassins dont la principale
arme offensive était la sarisse, une lance de plus de 4,50 m
de long. En 348, la destruction d'Olynthe sanctionnant la fin
de l'opposition des cités chalcidiennes, Philippe put se tourner
vers la Grèce méridionale. En 337, toutes les cités grecques,
à l'exception de Sparte, le reconnaissaient comme leur
commandant suprême, celui qui allait leur permettre de
venger l'affront de l'invasion perse. Il fut assassiné en 336.
Alexandre, âgé de 20 ans, reprit à son compte la mission
que son père s'était assignée.

S D-L

8

Portrait d'Alexandre III

fin du ive siècle av. J.-C.
découverte : région de Pella (découverte fortuite)
marbre
H. 30 cm

PELLA, MUSÉE ARCHÉOLOGIQUE

La parure « de la Dame d'Aigai »

vers 500 av. J.-C.

or

découverte : tombe de la « Dame d'Aigai »

VERGINA, MUSÉE DES TOMBES ROYALES D'AIGAI

14

9 Deux fibules à arc

or

L. maximale 6 ; l. maximale 3,5 cm

10 Deux grandes épingles

or

L. maximale 28,5 ; D. de la tête 3,5 cm

11 Trois éléments en spirale (*syringes*)

or

L. maximale des extrémités coniques 3 cm

12 Paire de boucles d'oreilles

or

D. 3,4 environ ; l. maximale du ruban 0,9 cm environ

13 Collier

or

14 Pendentif

or

H. 2,5 cm

15 Épingle double

or

L. 7,2 cm

La découverte de cette sépulture dans un secteur de la nécropole d'Aigai qui rassemblait les tombes des reines de l'époque archaïque tardive a marqué la campagne de fouilles de l'année 1988. La sépulture, non profanée, avait été aménagée au fond d'une grande fosse. La défunte, dont le corps avait été placé dans un sarcophage de bois, était accompagnée de très riches offrandes. Étendue sur le dos, la tête en direction de l'est et les bras le long du buste, elle était revêtue d'au moins deux tuniques : un chiton fin et, par-dessus, un péplos d'une étoffe tissée de façon dense mais néanmoins relativement fine. Il est certain qu'elle portait également un *épibléma*, sorte de manteau. Certaines traces indiquent qu'au moins un de ces vêtements, peut-être le péplos, était de couleur violette, dans un ton clair mais soutenu.

Les fibules étaient généralement associées aux chitons, mais, dans ce cas précis, il est probable qu'elles servaient à fixer le péplos, comme le montre le fait qu'il n'y en avait que deux, relativement grandes, et qu'elles se trouvaient sous les épaules, un peu au-dessus des seins – à l'endroit où normalement, comme on le voit sur les statues et sur diverses représentations, le devant et l'arrière du péplos se recouvrent et sont fixés ensemble.

A Ko

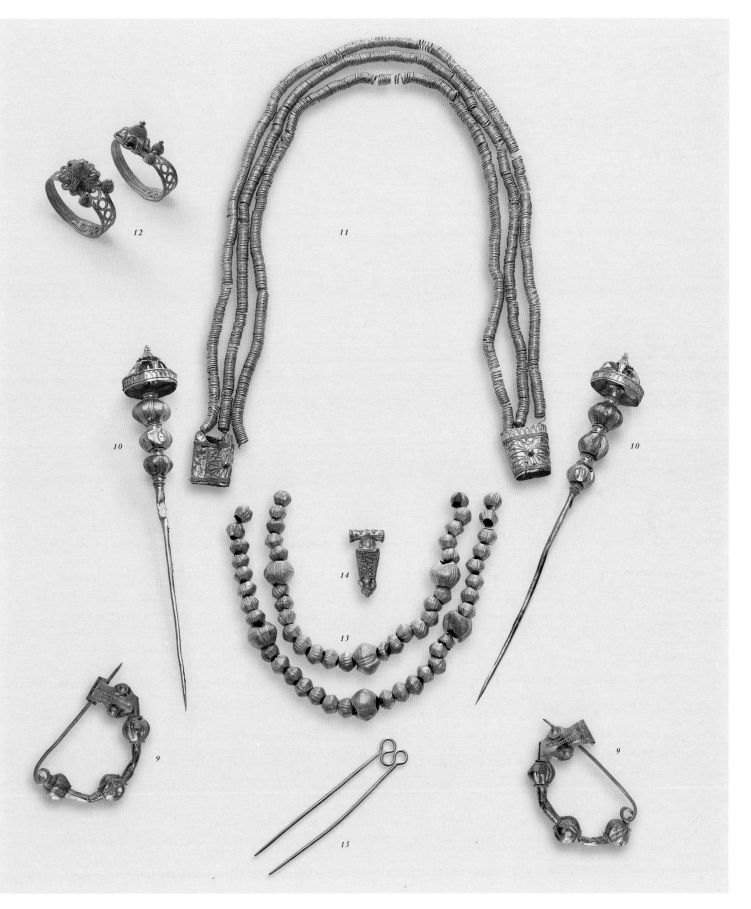

12

11

10

10

14

13

9

9

15

Le costume et les bijoux « de la Dame d'Aigai »

vers 500 av. J.-C.

découverte : tombe « de la Dame d'Aigai »

or

VERGINA, MUSÉE DES TOMBES ROYALES D'AIGAI

16

La partie antérieure du péplos était orné de bandes d'or
avec motifs géométriques obtenus au repoussé et de disques
à rosettes cousus sur le tissu.

Plus inhabituel est l'*épibléma*, vêtement porté par-dessus,
dont la présence est attestée par de larges bandes en or qui
étaient cousues au niveau des ourlets et qui nous donnent
une idée de l'aspect du vêtement. Confectionné dans une étoffe
plus épaisse et plus rigide que le chiton et le péplos, l'*épibléma*
couvrait le dos jusqu'à mi-mollet, passait sur les épaules par
une large ouverture – laissant paraître les têtes des épingles –
et dégageait le ventre ; il était fixé à la ceinture par une épingle
double en or, bijou très simple dont les hommes se servaient
aussi pour attacher leur cape. Ce manteau s'ouvrait donc
obliquement vers les côtés, laissant voir le « tablier » orné
d'or du péplos. Une bande rectangulaire, cousue sur la partie
supérieure de l'*épibléma*, à l'emplacement des bras et près
de la bordure en or, portait un décor de triples zigzags et
des motifs géométriques repoussés ; elle marquait peut-être
les ouvertures par où passaient les mains.

D'après leur forme et leurs détails techniques, les éléments
qui composent la parure « de la Dame d'Aigai » sont la création
d'un seul et même artisan, dont l'atelier devait se trouver
dans la région au sens large, peut-être non loin de l'Échedoros,
rivière riche en or alluvial.

Précieuses et impressionnantes, mais néanmoins élégantes
et quelque peu austères par rapport à d'autres exemples, toutes
ces pièces présentent jusqu'au moindre détail une homogénéité
qui en fait une parure véritablement cohérente. C'est une
découverte rare qui révèle non seulement la richesse et le statut
social de cette reine macédonienne inconnue – morte un siècle
et demi avant la naissance d'Alexandre le Grand – mais aussi
la délicatesse de son goût.

A Ko

Le costume et les bijoux « de la Dame d'Aigai »

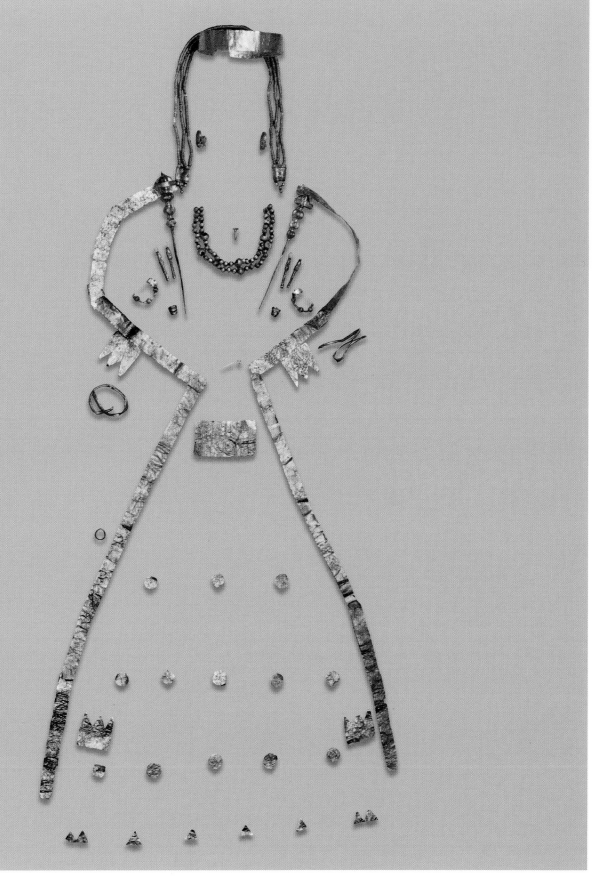

L'expédition d'Alexandre bouleversa l'équilibre géopolitique
du monde antique. Menée jusqu'aux confins de l'Indus,
elle avait pour but non seulement la conquête de l'Orient,
mais également l'exploration scientifique des contrées traver-
sées : le jeune roi s'était entouré de spécialistes qui devaient
observer la faune et la flore, et consigner les coutumes des
populations rencontrées. Les arpenteurs *(bématistes)* avaient
la charge de mesurer avec leur pas *(béma)* les distances
parcourues. L'expédition d'Alexandre s'inscrivait dans les
limites alors connues de la terre habitée, celles que lui avaient
enseignées Aristote. L'une des conséquences majeures des
conquêtes d'Alexandre fut l'afflux considérable de richesses
en Macédoine, sensible notamment dans les sépultures
du dernier quart du IVe siècle et du début du IIIe siècle av. J.-C.

S D-L

18

16

Paroi de la tombe d'Aineia : une frise polychrome de rinceaux fleuris court sur les quatre côtés de la tombe.
Les symboles funéraires (colombes, pommes de pin, palmettes) et les objets de la vie quotidienne issus
d'un intérieur féminin offrent un ensemble pictural qui compte parmi les plus anciens de Macédoine.

16
Miroir à boîte

vers 340 av. J.-C.
atelier attique (?)
bronze
couvercle : D. 15 ; ÉP. 0,7 ; L. de l'anse 2,7 cm
miroir : D. 14,5 ; ÉP. 1,3 cm
THESSALONIQUE, MUSÉE ARCHÉOLOGIQUE

Le miroir proprement dit est décoré de cercles concentriques
au revers. L'applique figure un Éros aux ailes démesurées,
faisant une grande enjambée vers la droite et brandissant
un arc de son bras droit tendu. Éros est représenté sous la forme
d'un jeune homme robuste, à la chevelure abondante relevée
en *krobylos* à l'arrière de la tête. Il tient de la main gauche
un manteau dont l'une des extrémités ondule devant lui
tandis que l'autre retombe à l'arrière, entre ses jambes, en plis
ondoyants. Il pose un pied sur un renflement du sol. Par terre,
à l'avant de sa jambe gauche fléchie, se dresse un coq qui
regarde dans la même direction que lui. Cet Éros reproduit
vraisemblablement un modèle sculpté du IVe siècle av. J.-C.

17
Cinq fibules à arc

seconde moitié du IVe siècle av. J.-C.
or
L. de 3,1 à 3,9 ; H. 2,3 ; l. de la corde de l'arc de 2,3 à 2,7 cm
THESSALONIQUE, MUSÉE ARCHÉOLOGIQUE

18
Bague

seconde moitié du IVe siècle av. J.-C.
or et pierre
D. 2 (3 avec le chaton) ; L. des axes du chaton 2 et 1,6 cm
THESSALONIQUE, MUSÉE ARCHÉOLOGIQUE

La bague, faite d'un seul tenant, comporte un chaton ovale
incrusté d'une intaille en pierre blanchâtre qui représente
deux oies aux ailes éployées, tournées vers la droite. Elles
prennent leur envol et tirent un char léger, à deux roues,
conduit par une figure féminine vêtue d'un péplos agrafé
aux épaules.

L'ensemble de la composition est traité en perspective :
les oies, plus proches du spectateur, sont plus grandes
que le cocher ; la roue du char est rendue par une ellipse.
Il s'agit probablement d'Aphrodite, souvent représentée
avec les volatiles en question.

18

17

Les cinq fibules sont de type analogue. Leur arc se compose
d'une tige cylindrique dotée de renflements biconiques. La
petite boîte cubique qui protège le ressort de l'ardillon présente
sur sa face antérieure une *léonté* en relief. À l'autre extrémité
de l'arc, et au-dessus du porte-ardillon en forme de ruban,
se trouve un avant-train de Pégase encadré par deux sphères.
Sur la cinquième fibule, un lion a pris la place de Pégase.

De semblables fibules ornées de Pégase ont été trouvées dans
la tombe III de Sédès et à Derveni. Les fibules à arc, originaires
d'Asie, étaient très répandues en Macédoine à l'époque classique.
Il semble qu'elles aient été fabriquées depuis la fin de l'époque
archaïque par des ateliers locaux d'orfèvrerie.

P A - V

fin du IVᵉ siècle – début du IIIᵉ siècle av. J.-C.
découverte : Dervéni (ancienne Lété)

La tombe Z de Dervéni, une sépulture féminine qui abritait de riches offrandes, est représentative de l'ensemble funéraire de Dervéni, découvert sur le site du même nom, à 10 km au nord-ouest de Thessalonique. Les six tombes inviolées, mises au jour en 1962, offrent l'image de l'un des groupements funéraires les plus importants du début de la période hellénistique jamais trouvés sur le territoire macédonien.

Les défunts étaient accompagnés de toutes sortes d'offrandes précieuses : couronnes d'or, bijoux élaborés, vaisselle de banquet en argent, en bronze ou en terre cuite, vases d'albâtre, armes de fer et de bronze, monnaies d'or.

A Kou

troisième quart du IVᵉ siècle av. J.-C.
or et émail bleu cyan
L. 34 ; L. des terminaisons de la chaîne 1,7 et 1,8 cm

THESSALONIQUE, MUSÉE ARCHÉOLOGIQUE

Ce collier est en forme de ruban et à pendeloques lancéolées. La bande plate est faite de quatre chaînes parallèles, constituées d'un tricot de petites mailles. Chaque extrémité est enchâssée dans un petit boîtier très travaillé qui se termine par un anneau et se compose de deux plaques superposées cordiformes ourlées d'un filet à nœuds. Leur décor était complété par la présence d'une palmette à neuf feuilles et d'une touche d'émail qui ont disparu. On estime que ce collier est du type de celui des chaînes décorées de lancettes mentionnées dans les inscriptions de Délos. En Macédoine, des colliers analogues ont été trouvés à Pella et dans des ensembles funéraires de la région de Thessalonique. Hors du territoire helladique, des exemples raffinés de colliers semblables ont été découverts en Asie Mineure et en Scythie.

D I

19

19
Paire de vases mastoïdes à vernis noir recouverts d'une feuille d'or

fin du IVᵉ siècle-début du IIIᵉ siècle av. J.-C.
terre cuite dorée à la feuille
H. 7,8 ; D. de l'embouchure 6 cm

THESSALONIQUE, MUSÉE ARCHÉOLOGIQUE

20
Calice en argent décoré d'une tête de Silène

milieu du IVᵉ siècle av. J.-C.
argent et or
H. 5,6 ; D. de l'embouchure 9,1 cm ; poids 112,92 g

THESSALONIQUE, MUSÉE ARCHÉOLOGIQUE

20

Paire de boucles d'oreilles à nacelle

or

H. 9,5 ; D. du disque 2,7 cm

THESSALONIQUE, MUSÉE ARCHÉOLOGIQUE

Ces boucles d'oreilles, du type dit « à nacelle », se distinguent par la finesse et la richesse de leur décor. L'artiste qui les a créées a fait appel à plusieurs techniques qu'il a su conjuguer, comme le filigrane, la granulation et le repoussé.

Elles se composent d'un disque, qui dissimule l'ardillon, et d'un élément en forme de nacelle, auquel sont suspendues, au moyen de chaînettes, des pendeloques en forme de vase.

Le type des boucles d'oreilles à nacelle a perduré de longues années.

A Kou

Pendentif : tête d'Héraklès

seconde moitié du IVᵉ siècle av. J.-C.

or

H. 4 ; l. 2,5 ; ÉP. 2,7 cm

THESSALONIQUE, MUSÉE ARCHÉOLOGIQUE

Le héros, représenté de face, a une barbe et une moustache fournies. Il porte sur la tête la *léonté*, qui descend jusqu'au milieu du front et recouvre tout le crâne. Le mufle du lion et la mâchoire supérieure de sa gueule ouverte, d'où émerge le visage d'Héraklès, sont esquissés sur le haut de la tête du héros. On trouve également ce type de pendentif à Tarente.

P A - V

Bague

troisième quart du IVᵉ siècle av. J.-C.

or et sardoine

D. de l'anneau 2,3 ; L. des axes du chaton 1,6 et 0,8 cm

THESSALONIQUE, MUSÉE ARCHÉOLOGIQUE

Bague en or avec un anneau en forme de fer à cheval et un chaton de sardoine.

D I

Bague

troisième quart du IVᵉ siècle av. J.-C.

or et sardoine

D. de l'anneau 2,3 ;

L. des axes du chaton 1,4 et 0,9 cm

THESSALONIQUE, MUSÉE ARCHÉOLOGIQUE [Z 11]

Bague en or au chaton de sardoine en forme de scarabée.

D I

Situle campaniforme

milieu du IVᵉ siècle av. J.-C.

bronze

H. 21,3 ; D. de l'embouchure 19,2 ; D. de la base 10,1 cm

THESSALONIQUE, MUSÉE ARCHÉOLOGIQUE

Bague

troisième quart du IVᵉ siècle av. J.-C.

or

D. de l'anneau 2,2 ; L. des axes du chaton 2,1 et 1,8 cm

THESSALONIQUE, MUSÉE ARCHÉOLOGIQUE

Bague en or au chaton ovale inscrit ΚΛΕΙΤΑΙΔΩΡΟΝ.

La tige ovoïde présente un profil externe arrondi. L'inscription occupe toute la longueur du chaton plat. Les lettres sont gravées de façon bien distincte, mais avec des hauteurs variables.

Cette bague n'était pas un sceau. Elle a été beaucoup portée, car le chaton est très rayé. Elle a été offerte en cadeau à Kleita, dont le nom est au datif. Kleita, ou Kleitè, était un prénom courant en Pélasgiotide (Thessalie). La bague serait ainsi un indice de l'origine thessalienne de la famille, dont les membres ont été inhumés dans la nécropole de Dervéni.

D I

26

22

27

24

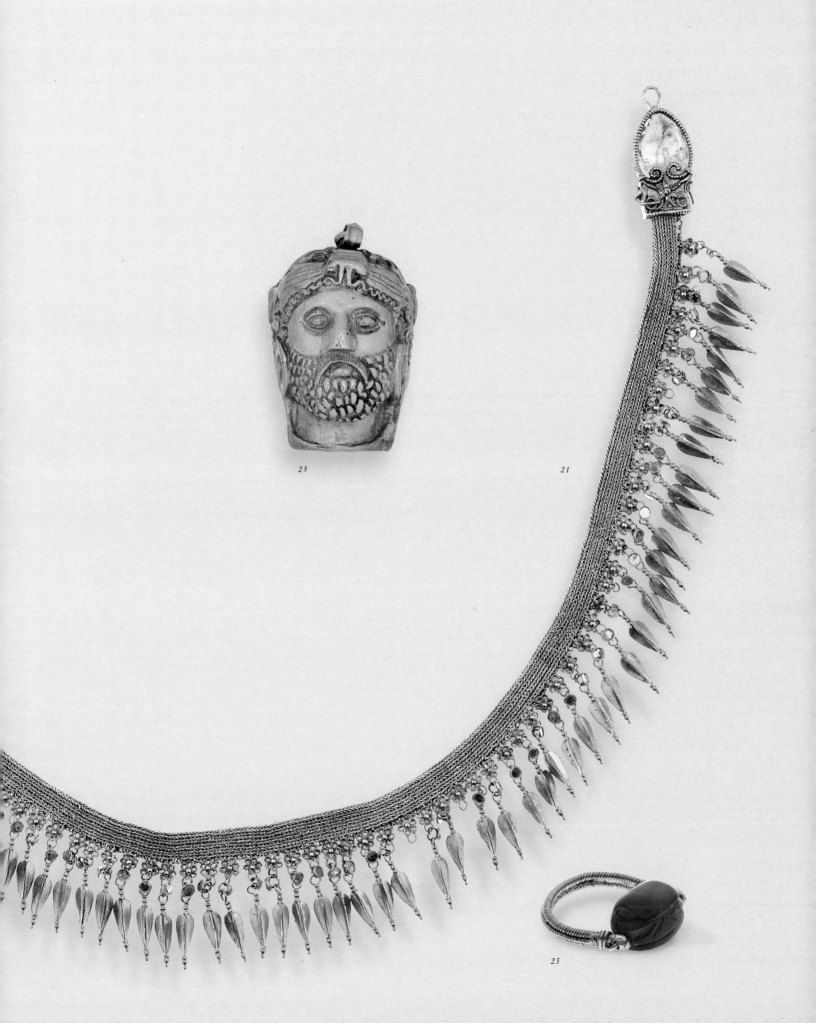

23

21

25

Tombe d'Agios Athanasios, façade : scène de banquet

24

Alors qu'aux époques archaïque et classique la femme macédonienne vit cloîtrée dans le gynécée, les conquêtes d'Alexandre,
qui favorisent l'avènement d'un monde nouveau, lui permettent
de paraître plus souvent dans les lieux publics et de s'impli-
quer davantage dans l'organisation des cultes et des rituels
funéraires. Vêtue d'une longue tunique *(chiton)* de laine ou de
lin ceinturée haut sous la poitrine et d'un manteau *(himation)*
dans lequel elle s'enveloppe parfois étroitement, elle se pare de
bijoux d'or, d'argent, parfois mêlé de pierres semi-précieuses,
se maquille et se parfume. Mais l'univers féminin demeure
distinct dans les pratiques quotidiennes de celui des hommes.
La femme continue à vivre dans la partie privée de la maison,
pourvoit à l'éducation des filles jusqu'à leur mariage, et à celle
des garçons jusqu'à l'âge de sept ans. L'homme a une vie sociale
importante qui justifie la présence dans sa demeure d'une
ou de plusieurs pièces de réception. L'*andron* est le lieu du
banquet *(symposion)*, rituel social qui mêle consommation
de vin, repas et divertissement. Les convives sont le plus
souvent à demi-couchés sur des lits *(klinés)* disposés le long
des murs. Le décor d'or, d'ivoire et de verre transparent
des modèles les plus riches de la seconde moitié du IVe siècle
av. J.-C. cède bientôt le pas à des appliques de bronze qui
garnissent pieds, traverses horizontales et chevets inclinés.
Le service de banquet comprend des vases à boire – calices,
canthares –, une louche et une passoire en bronze ou
en argent doré.

S D - L

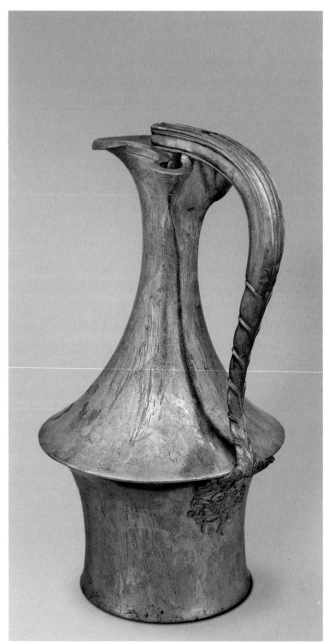

28

Œnochoé à embouchure trilobée

troisième quart du IVe siècle av. J.-C.
découverte : Dervéni, tombe A
bronze
H. 25,7 ; D. du pied 9,9 cm
THESSALONIQUE, MUSÉE ARCHÉOLOGIQUE

Figurine féminine

fin du IVᵉ siècle av. J.-C.

découverte : Néa Potidaia, emplacement
dit de « Pétriotika »

terre cuite

H. 22 ; l. de la base. 7,2 ; ÉP. de la base 6,8 cm

THESSALONIQUE, MUSÉE ARCHÉOLOGIQUE

Debout dans une posture presque frontale, la jeune femme
porte un chiton richement plissé qui descend jusqu'aux pieds,
et est enveloppée dans un manteau qui retombe en diagonale
jusqu'au mollet droit. Elle s'appuie sur sa jambe gauche,
et sa jambe droite, plus détendue et au genou légèrement plié,
est un peu en retrait. La paume de la main gauche, dissimulée
par le pan de manteau qu'elle tient, est posée sur sa hanche,
tandis que de la main droite elle serre le col du manteau
sur son cou. La tête est légèrement tournée vers sa gauche.
Le front est couronné de courtes mèches artistement coiffées,
et le reste de la chevelure, divisé par une large raie, est
rassemblé en chignon. La figurine est recouverte d'une
préparation blanche, et plusieurs couleurs conservent leur
vivacité : le brun des cheveux, le rouge intense des lèvres,
du contour des yeux et des boucles d'oreilles joliment modelées, ainsi que le simple rose de la robe et du col du manteau,
dont le reste de la surface est bleu pâle.

K S

Cette tombe à ciste, découverte en 1938 sur le terrain de l'aéroport militaire de Sédès, appartient à un ensemble de quatre sépultures construites pour recevoir les membres d'une même famille. Ses parois étaient décorées de denticules, évocation des motifs décoratifs employés pour les tapis, et, un peu plus bas, de guirlandes de fleurs. La défunte était placée sur une *kliné* de bois recouverte de plaquettes d'ivoire, agrémentées de scènes gravées et en relief, les pieds du lit enrichis eux-mêmes d'ornements en verre et de feuilles d'or. Les offrandes funéraires comprenaient un diadème et un collier d'or très ouvragés – le second avec un nœud d'Héraklès –, trois paires de fibules d'or à têtes de lion et à avant-train de Pégase, une boucle d'oreille en or à tête de lion, une bague d'or décorée d'une kourotrophe, un huitième de statère d'or de Philippe II, un miroir de bronze, des vases en métal, en albâtre et en terre cuite, ainsi qu'un grand nombre de protomés féminines en terre cuite. Le décor peint ainsi que les offrandes funéraires permettent de dater la tombe du règne de Cassandre (316-297 av. J.-C.), période à laquelle appartiennent un bon nombre de tombes à ciste analogues découvertes ces dernières années en Macédoine.

K T

26

30

31

30
Pyxide à vernis noir
et à décor *West Slope*

vers 325 av. J.-C.
H. totale du vase 12,7 cm
corps : H. 9,8 ; D. de la lèvre 12,7 cm
couvercle : H. 9 ; D. 17,5 cm

THESSALONIQUE, MUSÉE ARCHÉOLOGIQUE

31
Skyphos à vernis noir

vers 320 av. J.-C.
terre cuite
H. du corps 11 ; D. de la lèvre 7,3 cm

THESSALONIQUE, MUSÉE ARCHÉOLOGIQUE

32
Diadème

fin du IVe siècle–début du IIIe siècle av. J.-C.
or
L. 56 ; l. 4,6 cm ; poids : 77 g

THESSALONIQUE, MUSÉE ARCHÉOLOGIQUE

33
Collier

dernier quart du IVe siècle av. J.-C.
or
L. 39 cm

THESSALONIQUE, MUSÉE ARCHÉOLOGIQUE

32

33

Ensemble funéraire : Sévasti (Piérie) tumulus Pappa, tombe à ciste 2

vers 330 av. J.-C.

Cette sépulture masculine, mise au jour avec deux tombes
à fosse lors des fouilles du tumulus Pappa menées en 1986 et
1987, a livré un vase cinéraire de bronze – un cratère en calice
et son support (hypokratérion) – ainsi qu'un service de banquet
composé de trois gobelets, d'une passoire et d'une louche
en argent.

É-B T

34

34
Trois calices

troisième quart du IVe siècle av. J.-C.
découverte : Sévasti (Piérie), « Tumulus Pappa »
argent
H. 6 ; D. de la lèvre 8,8 cm
H. 6,4 ; D. de la lèvre 9,2 cm
H. 6,2 ; D. de la lèvre 9,2 cm

THESSALONIQUE, MUSÉE ARCHÉOLOGIQUE

35
Passoire

troisième quart du IVe siècle av. J.-C.
découverte : Sévasti (Piérie), « Tumulus Pappa »
argent
L. 19,5 cm

THESSALONIQUE, MUSÉE ARCHÉOLOGIQUE

36
Louche

troisième quart du IVe siècle av. J.-C.
découverte : Sévasti (Piérie), « Tumulus Pappa »
argent
L. 25 cm

THESSALONIQUE, MUSÉE ARCHÉOLOGIQUE

36

35

La production artistique aux époques classique et hellénistique

Les sources textuelles antiques nous apprennent que les rois de Macédoine ont accueilli à leur cour les plus grands artistes de leur temps.

À la fin du Vᵉ siècle av. J.-C., le roi Archélaos invite le peintre Zeuxis pour décorer son palais dans la nouvelle capitale de Pella. Euripide compose en Macédoine *Les Bacchantes*, *Iphigénie à Aulis* et une tragédie perdue, *Archélaos*, dont le protagoniste était un ancêtre mythique du roi. Le peintre Apelle et le sculpteur Lysippe sont, dans le troisième quart du IVᵉ siècle av. J.-C., portraitistes officiels d'Alexandre le Grand.

Dans tous les domaines artistiques – du bronze, de l'orfèvrerie, de la terre cuite, du verre, de la peinture, de la mosaïque –, les œuvres élaborées pour des rois et pour l'élite de la cour sont des créations virtuoses : elles représentent le plus haut degré de la commande. Le verre incolore transparent inventé à l'époque de Philippe II est présent non seulement dans la vaisselle de table, mais également dans le décor des lits de banquet chryséléphantins (d'or et d'ivoire). Préservées durant des siècles par les terres qui recouvraient les sépultures, ces œuvres ont conservé souvent intacte leur apparence originelle, notamment leur polychromie. Ailleurs en Grèce, offertes aux dieux dans les sanctuaires, elles ont disparu. La tradition funéraire macédonienne permet ainsi de prendre la mesure de ce qu'était l'art grec aux époques classique et hellénistique (Vᵉ-Iᵉʳ siècle av. J.-C.).

S D L

37

Couronnement d'édifice funéraire à décor de palmette

fin du IVᵉ siècle-début du IIIᵉ siècle av. J.-C.

découverte : nécropole de l'ancienne Lété, tombe circulaire

Pôros

H. conservée 54 ; L. 53 ; ÉP. 7 cm

THESSALONIQUE, MUSÉE ARCHÉOLOGIQUE

38

38

Médaillon avec buste d'Athéna coiffée de la tête de Méduse

milieu du IIe siècle av. J.-C.
découverte : Thessalonique, édifice public,
probablement le palais hellénistique
atelier délien
bronze à patine verte
H. 27,2 cm

THESSALONIQUE, MUSÉE ARCHÉOLOGIQUE

Danseur d'*oklasma* : Attis (?)

IIIᵉ siècle av. J.-C.

provenance : Macédoine

atelier : Amphipolis (?)

terre cuite chamois micacée

moule bivalve (plaque au revers), jambes modelées,

trou circulaire au sommet, évent trapézoïdal

H. conservée 17 ; l. conservée 11 cm

PARIS, MUSÉE DU LOUVRE, DÉPARTEMENT DES
ANTIQUITÉS GRECQUES, ÉTRUSQUES ET ROMAINES
ACQUISITION, 1913

32

La figurine se distingue, outre l'originalité de son thème, par la qualité de son argile et par le soin apporté à sa mise en forme : l'assemblage des épaisses parois a été consolidé par l'adjonction de languettes en argile, notamment en partie inférieure ou pour les abattis (jambes) ; l'étai en argile, installé par le coroplathe pour éviter l'affaissement des parois pendant la cuisson, est même fortuitement resté en place.

La tunique à manches, ceinturée, et le bonnet phrygien sont ceux que porte la divinité orientale Attis. L'attitude très caractéristique – genou à terre, corps incliné, mains jointes au-dessus de la tête – se réfère à l'un des pas d'une danse d'origine perse dite *oklasma* (du grec *oklazein*, « s'agenouiller ») relatée par Pollux. Le motif apparaît assez spécifiquement à Athènes au tournant du Vᵉ siècle av. J.-C. sur des vases – ainsi que sur des vases plastiques dont les parallèles les plus proches et les plus nombreux ont sans doute été produits à cette même époque sur l'agora. L'identification de ces danseurs à Attis, proposée par Maarten Jozef Vermaseren, certes plausible ici, ne peut cependant être systématique en raison de la fréquente présence d'ailes et de la représentation significative de femmes.

V J

Ornement végétal en or et restes du support en ivoire

fin du IVᵉ siècle av. J.-C.

découverte : tombe de Stavroupolis (Thessalonique)

or et ivoire

L. 18 cm

Cette composition impressionnante, d'une exceptionnelle finesse d'exécution, entrelace vrilles végétales et palmettes avec une précision naturaliste. Il s'agit en fait de deux motifs décoratifs identiques, adossés symétriquement et formant une surface ornementale homogène.

Les deux parties symétriques de l'ornement sont fixées, derrière leur feuille d'acanthe centrale, à un seul et même support d'ivoire, dont ne subsiste malheureusement qu'un très petit fragment, ce qui rend sa fonction difficile à définir. Il se peut que l'ornement d'or ait décoré un coffret cinéraire de bois ou un sarcophage de bois. Il est peu plausible qu'il ait été un diadème, en raison de sa fixation sur la plaque d'ivoire. Il est possible qu'il ait orné un instrument de musique de forme allongée, lui-même en ivoire, peut-être une flûte.

Cet ornement d'or est un hapax. On a supposé qu'il avait été exécuté en Italie du Sud, ou bien par un artisan d'origine italiote. Néanmoins, la facture et le rendu stylistique du décor végétal évoquent des thèmes ornementaux présents en Macédoine sur des mosaïques de sol, ainsi que sur des peintures murales de tombes macédoniennes. Il provient donc très probablement d'un atelier d'orfèvrerie macédonien.

La tombe à ciste de Stavroupolis abritait une sépulture masculine dont les offrandes funéraires se composaient de plus de trente-cinq pièces d'une qualité et d'une esthétique exceptionnelles : armes, vaisselle de banquet et objets décoratifs – dont certains sont sans comparaison, telle l'écritoire de bronze – et un tabouret en argent. Son occupant était sans aucun doute un homme hors du commun, particulièrement cultivé, vraisemblablement un dignitaire appartenant à la haute société.

P A-V

40

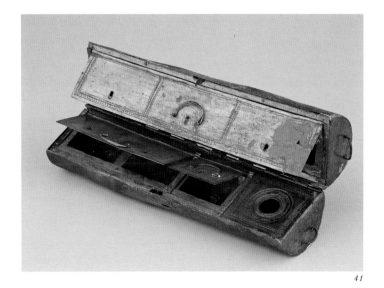

Écritoire

325-300 av. J.-C.

découverte : tombe à ciste de la rue Oraiokastrou, Stavroupolis (Thessalonique)

bronze et argent

L. 22,5 ; D. de l'écritoire (fermée) 5,5 cm

41

Paire de boucles d'oreilles à pendeloques

dernier quart du IVe siècle av. J.-C.

découverte : Lété (trouvaille fortuite)

or

H. 4,8 cm ; poids 7,1 et 7,4 g

THESSALONIQUE, MUSÉE ARCHÉOLOGIQUE

La composition de ces boucles d'oreilles est un hapax. Elles appartiennent néanmoins à un type qui fait son apparition au troisième quart du IVe siècle : des pendeloques pyramidales ou coniques suspendues à un disque principal orné de rosettes à feuilles multiples. Cependant, les pendeloques en forme de vase, décoré ou non, sont plutôt répandues en Macédoine comme ornements de collier du VIe à la fin du IVe siècle av. J.-C. Ce type de pendeloque peut être aussi réalisé en cristal de roche, et des pierres semi-précieuses ou des perles colorées apportent parfois une touche de couleur aux flancs du vase.

   Les boucles d'oreilles sont un élément incontournable de la parure féminine, mais aussi une forme de valorisation et d'ostentation sociales. D'où l'usage d'ensevelir les femmes avec leurs bijoux.

K T

Bracelet : protomés de griffons-lions

IVe siècle av. J.-C.

découverte : Sphendami (Piérie)

or

D. 5 cm

THESSALONIQUE, MUSÉE ARCHÉOLOGIQUE

Ce type de jonc, où deux fils torsadés surmontés d'un filet décoratif ont l'apparence d'une tresse, apparaît sur des bagues de la seconde moitié du IVe siècle av. J.-C., comme celles de la tombe Z de Dervéni (p. 22-23). Les bracelets à terminaisons zoomorphes sont produits durant tout le IVe siècle. Le griffon-lion, ou lion ailé avec cornes et aigrette, est un thème décoratif rare. On le rencontre cependant sur d'autres pièces d'orfèvrerie de la région de Pydna.

É-B T

42

43

44

Bracelet à têtes de bouquetin

première moitié du IIIe siècle av. J.-C.
découverte : Europos (Kilkis)
or
D. 8 cm

L'expressivité sans égale de ces têtes est due à l'habileté
d'un orfèvre qui s'avère incontestablement un grand artiste.
La production de bijoux de haute qualité a connu un apogée
particulier après Alexandre le Grand, l'influence du monde
oriental se conjuguant avec les savoir-faire locaux traditionnels
(granulation et filigrane) et les innovations techniques. Des
bijoux combinant granulation et filigrane ont été découverts
dans l'ensemble du monde hellénistique, de la Macédoine
au Pont-Euxin. Cette production s'est perpétuée jusqu'au
IIe siècle av. J.-C., où ses ultimes exemples apparaissent
surtout sous forme de perles de colliers.

Th S

Coupe-canthare

dernier quart du IVe siècle av. J.-C.
découverte : Makrygialos, nécropole de l'ancienne
Pydna (Piérie), terrain 936, tombe « macédonienne »
verre transparent incolore
D. de la panse 14 à 14,5 (20 anses comprises) ;
H. de 7,3 à 8 ; ÉP. de 0,3 à 0,8 cm

Cette coupe provient d'une tombe « macédonienne » qui
contenait trois sépultures. Elle faisait partie, avec une phiale
de verre à couvercle et un vase à parfum en terre cuite, des
offrandes funéraires d'une sépulture probablement féminine,
datée de la fin du IVe siècle ou du début du IIIe siècle av. J.-C.
Elle constitue le plus ancien exemplaire connu de coupe-
canthare en verre. C'est aussi la plus ancienne occurrence
d'anses tripartites verticales, qui seront par la suite associées
presque exclusivement à cette forme de vase à boire en verre
à deux anses, avec ou sans tige.

D I

Les textes antiques, les inscriptions, les vestiges des sanctuaires et les offrandes votives ou funéraires témoignent de
la multiplicité des cultes en Macédoine.

On retrouve les grands Olympiens, souvent vénérés avec
une épiclèse (épithète) qui ajoute une spécificité locale
à leur culte. À Pella, Aphrodite joue un rôle particulièrement
important comme protectrice des défunts ; Athéna porte sur
son casque des cornes bovines. Des dieux étrangers égyptiens
et orientaux – Sérapis, Isis, Attis – ont été progressivement
accueillis. On honore également des divinités secondaires –
Eukléia à Aigai, Darron à Pella – et des héros. Héraklès
occupe une place privilégiée comme ancêtre de la dynastie
des Téménides.

Les Macédoniens sont souvent initiés aux cultes à mystères
dans l'espoir d'une renaissance après la mort. Au IVe siècle av. J.-C.,
l'élite adopte la crémation, modèle des funérailles homériques :
les ossements du défunt, recueillis sur le bûcher, sont déposés
dans un coffret *(larnax)* de bois, d'argent ou d'or, parfois également dans une hydrie. Les offrandes funéraires sont nombreuses.
Elles sont parfois accrochées à des clous ou imitées en trompe
l'œil sur les parois des sépultures (p. 18). Elles peuvent être liées
à un rituel pratiqué au moment des funérailles (phiales voluntaire-
ment écrasées après la libation ; têtes de terre cuite qui évoquent
les divinités chtoniennes du monde des Enfers). Les sépultures
les plus riches sont appareillées : elles sont à ciste (en forme
de coffre) ou à chambre voûtée et façade aux portes de marbre
(tombes « macédoniennes »).

S D-L

46

46

Tête de Déméter

fin du IVe siècle av. J.-C.
découverte : Dion, sanctuaire de Déméter
marbre
H. totale 24 ; H. de la tête 17 cm

DION, MUSÉE ARCHÉOLOGIQUE

La forme et le modelé du visage, le traitement de la chevelure,
les détails des yeux et de la bouche sont autant d'éléments
qui permettent de dater la statue à la fin du IVe siècle, par
comparaison avec des figures de stèles funéraires de cette
période.

La tête a été trouvée en 1973 dans le temple sud du sanctuaire de Déméter, sur une couche de destruction, au niveau
de la base du mur ; on estime par conséquent qu'elle appartenait
à la statue de culte de la déesse.

S P

Stèle funéraire d'un enfant

relief et inscriptions du Iᵉʳ siècle av. J.-C.
sur une stèle plus ancienne
provenance : « découverte à Thessalonique »
atelier : Thessalonique (?)
marbre
H. 103 ; l. 37 ; ÉP. 5 cm

L'enfant nu, qui court vers la droite en portant une torche allumée, est un coureur de lampadédromie. Il s'agit d'un rituel religieux réservé à l'origine à des divinités en rapport avec le feu, comme Héphaïstos, Athéna ou encore Prométhée. Un flambeau faisait l'objet d'un passage de relais entre des coureurs – jeunes garçons ou éphèbes – évoluant par tribus ; la tribu victorieuse était celle dont le dernier coureur avait réussi à allumer le feu sur l'autel du dieu. Ces courses étaient en faveur dans toute la Grèce.

Sur la stèle, le jeune vainqueur a gagné en récompense l'hydrie pleine d'huile posée sur la colonne représentée derrière lui. Son nom est inscrit sur le fronton : « Nouménios, fils de Koinos » et, plus bas, est gravé un petit poème de quatre lignes évoquant un fait curieux de sa courte vie : « Je vins au monde le même jour [de l'année] que le célèbre archer Apollon, et je quittai la vie à l'âge de quatorze ans. Je mourus le même jour que celui où j'étais né, au moment où les citoyens faisaient des sacrifices publics à Phébus ».

De telles épitaphes en vers plus ou moins inspirés se multiplient à l'époque hellénistique, et feront florès à l'époque romaine. Mais, ici, ce souci de recherche tranche avec la maladresse du relief et la gravure peu soignée de l'inscription. Pourtant, la stèle à fronton, haute et étroite, dont les côtés et même le revers sont très soigneusement dressés, est d'excellente facture. Cependant, les traces d'outil qu'aurait dû faire disparaître un abrasage final de la face sont encore très apparentes, indice que cette stèle était restée inemployée avant d'être réutilisée plus tard par un sculpteur improvisé, et un lapicide inexpérimenté.

M H

48

Lécythe attique à fond blanc

vers 420-400 av. J.-C.

découverte : Makrygialos (ancienne Pydna),

nécropole nord, champ 947, tombe 15

œuvre du Peintre des Roseaux

argent

H. 52,2 ; D. de l'épaule 13,5 ; D. du rebord 8,9 ;

D. de la base 9,3 cm

THESSALONIQUE, MUSÉE ARCHÉOLOGIQUE

Hydrie cinéraire à vernis noir et à décor polychrome avec couvercle en plomb

dernier quart du IVe siècle av. J.-C.
style de Kertch
découverte : Amphipolis, Kastri
terre cuite
H. 51 ; D. de l'embouchure 18,5 ; D. du pied 13,2 cm

AMPHIPOLIS, MUSÉE ARCHÉOLOGIQUE

La face principale est ornée d'une amazomachie. La scène figurée comprend cinq personnages : deux couples opposant chacun une Amazone (dont l'une est à cheval) à un guerrier, et une Amazone gisant à terre. La composition se caractérise par son intensité dynamique et par la symétrie de la scène représentée.

K P

49

Hydrie cinéraire à vernis noir avec couvercle en plomb

entre le troisième quart et
le dernier quart du IVe siècle av. J.-C. (330-320 av. J.-C.)
découverte : Amphipolis, nécropole hellénistique, tombe 13
terre cuite
H. 47 ; D. de l'embouchure 12 ; D. du pied 12,8 cm

AMPHIPOLIS, MUSÉE ARCHÉOLOGIQUE

Le vase cinéraire a conservé son couvercle en feuille de plomb, auquel sa périphérie en dents de scie assurait une meilleure adhérence. L'embouchure est ornée d'un *kymation* ionique. Un décor végétal de feuilles de myrte, surpeint à l'argile et conservant des traces de dorure, encercle la base du col. Un ornement d'or surpeint entoure également, à la façon d'un anneau de bague, la naissance des anses horizontales. L'attache inférieure de l'anse verticale est agrémentée d'un ornement doré cruciforme.

La datation de l'hydrie se fonde sur des éléments stylistiques et sur l'étude du matériel funéraire de la tombe.

K R

50

40

51

52

51

Couronne de myrte en fleur

325-300 av. J.-C.

découverte : Stavroupolis (Thessalonique),
tombe à ciste de la rue Oraiokastrou
or et émail
D. 17 cm ; poids 99 g

THESSALONIQUE, MUSÉE ARCHÉOLOGIQUE

52

Diadème à décor végétal
et à nœud d'Héraklès

début du IIIe siècle av. J.-C.

découverte : nécropole de Lété, terrain V. Toumbéli,
tombe à ciste 14
or
L. 51,5 cm ; poids 45,39 g

THESSALONIQUE, MUSÉE ARCHÉOLOGIQUE

53

54

Couronne de feuilles de lierre et corymbes

vers 340-320 av. J.-C.

découverte : fouille clandestine d'une tombe appartenant
probablement au cimetière est d'Apollonia (Mygdonie)
or
D. de l'armature 33 cm

THESSALONIQUE, MUSÉE ARCHÉOLOGIQUE

Couronne de feuilles de chêne

milieu du IIIᵉ siècle av. J.-C.

découverte : Potidée (ancienne Cassandrée), tombe à ciste
or
D. 15,5 cm

THESSALONIQUE, MUSÉE ARCHÉOLOGIQUE

Protomé féminine

fin du IVᵉ siècle av. J.-C.-début du IIIᵉ siècle av. J.-C.
découverte : Amphipolis, nécropole hellénistique,
tombe 94 (fouille de 1956)
terre cuite orange-brun micacée
н. 29 ; l. maximale 22 cm

AMPHIPOLIS, MUSÉE ARCHÉOLOGIQUE

La figure féminine est vêtue d'un
himation, qui lui couvre la tête comme
un voile, et d'un péplos échancré en V sur
la poitrine. L'himation-voile dissimule
aussi les épaules. Le visage est arrondi
et bien en chair, et le nez, long, est assez
rapproché de la bouche, petite, aux lèvres
à peine entrouvertes. La tête est penchée
et les yeux expriment la tristesse. Les
deux bras sont repliés, les avant-bras
vers le haut : le droit le long du sein,
tandis que la main gauche tient le bord
de l'himation. Les détails des traits du
visage, des vêtements et du collier sont
rendus en couleurs. Bien que l'exécution
soit peu soignée et hâtive, il semble que
l'artisan disposait de connaissances
artistiques suffisantes pour obtenir
plasticité et expressivité par le biais de
la polychromie. Il est possible que des
peintres et des coroplathes aient travaillé
dans cet atelier et que leurs œuvres aient
été diffusées bien au-delà d'Amphipolis,
comme l'indiquent les figurines mises
au jour dans d'autres régions.

Ces protomés ont été découvertes
dans des habitations, des sanctuaires
et des tombes féminines. Elles avaient
toujours un caractère religieux :
sorte d'offrande votive aux divinités
chtoniennes ou de la fertilité, et peut-
être symbole de renaissance. Aphrodite,
Déméter et Koré, Cybèle, Artémis
(une seule fois) et même Héra étaient
les déesses honorées. Les protomés
représentaient-elles chaque divinité
particulière ou bien une forme
symbolique générale digne d'une
vénération indifférenciée ?

K R

L'Incantada

« L'Incantada », ou « Las Incantadas » (Les Enchantées), est l'appellation traditionnelle d'une colonnade antique décorée de piliers sculptés, dont une partie subsistait au cœur du quartier juif de Thessalonique. « Les Enchantées » font référence à une ancienne légende locale : les piliers montreraient le roi de Thrace, son épouse et ses suivantes pétrifiés par un sortilège, que le roi avait initialement destiné à Alexandre le Grand.

La colonnade était bien connue des voyageurs, comme l'attestent notamment les dessins réalisés lors de la mission Graviers d'Ottière, ou encore par L. S. Fauvel. Ces documents permettent de connaître l'aspect de la colonnade, dont seuls certains éléments sont aujourd'hui conservés, ainsi que l'ordre des piliers et leur orientation.

Le monument est généralement mis en rapport avec l'agora. Plutôt que d'un portique, il devait en fait s'agir d'une colonnade à claire-voie, visible des deux côtés. Ce type d'élévation est attesté à Bordeaux, par les piliers de Tutèle (seulement connus par gravure), ou encore à Split, au palais de Dioclétien.

Les piliers de la colonnade de Thessalonique se caractérisent par la variété des thèmes qui y sont figurés sur leurs deux faces. Le cortège bachique est bien représenté : Dionysos est entouré d'Ariane et d'une ménade jouant de la double flûte. Sur les deux faces du même pilier, les amours de Zeus sont illustrées par l'épisode de Léda et le cygne et par celui de l'enlèvement de Ganymède.

Un des Dioscures, nés de l'union de Zeus et Léda, peut éventuellement être rattaché à ce groupe. Certains regroupements thématiques s'esquissent donc mais pas forcément par pilier, d'une face à l'autre, ou par côté de leur enfilade. La volonté de mettre en œuvre un système décoratif semble l'emporter sur celle d'organiser un programme allégorique cohérent. En outre, seul un segment de la colonnade étant conservé, il convient de rester prudent sur l'interprétation d'un ensemble dont une large part a disparu.

Les reliefs des piliers sont typiques des productions des ateliers de Grèce et d'Asie Mineure actifs à l'époque impériale, toujours très empreints de tradition hellénique. Leur éclectisme rétrospectif rend toute datation précise délicate. La stylisation des drapés comme des plumages et le matériau, du marbre de Thasos, suggèreraient une production locale du premier tiers du IIIe siècle apr. J.-C. Cette datation est acceptée par la majorité des archéologues. Toutefois, certaines comparaisons avec les monuments du forum de Philippes permettent d'envisager une datation plus ancienne, au troisième quart du IIe siècle apr. J.-C.

L L

Fauvel, aquarelle de la colonnade de l'Incantada
COLLECTION PARTICULIÈRE

56
le pilier vu de côté

56
Pilier sculpté

face A : ménade jouant de l'aulos
face B : Victoire tenant une guirlande
marbre de Thasos
H. 206 ; l. 75 : ÉP. 75 cm

PARIS, MUSÉE DU LOUVRE, DÉPARTEMENT DES
ANTIQUITÉS GRECQUES, ÉTRUSQUES ET ROMAINES
MISSION E. MILLER, 1865

57
Pilier sculpté

face A : Dionysos
face B : Aura
marbre de Thasos
H. 206 ; l. 75 : ÉP. 75 cm

PARIS, MUSÉE DU LOUVRE, DÉPARTEMENT DES
ANTIQUITÉS GRECQUES, ÉTRUSQUES ET ROMAINES
MISSION E. MILLER, 1865

58
Pilier sculpté

face A : Ariane
face B : un Dioscure
marbre de Thasos
H. 206 ; l. 75 : ÉP. 75 cm

PARIS, MUSÉE DU LOUVRE, DÉPARTEMENT DES
ANTIQUITÉS GRECQUES, ÉTRUSQUES ET ROMAINES
MISSION E. MILLER, 1865

59
Pilier sculpté

face A : Léda et le cygne
face B : Enlèvement de Ganymède
marbre de Thasos
H. 206 ; l. 75 : ÉP. 75 cm

PARIS, MUSÉE DU LOUVRE, DÉPARTEMENT DES
ANTIQUITÉS GRECQUES, ÉTRUSQUES ET ROMAINES
MISSION E. MILLER, 1865

les piliers vus du nord

56 Ménade   57 Dyonisos

59 Enlèvement de Ganymède   58 un Dioscure

les piliers vus du sud

44

Chapiteau corinthien

marbre de Thasos (Aliki)

H. 87 ; l. maximale 120 ; lit d'attente de l'abaque : l. 90 cm

PARIS, MUSÉE DU LOUVRE, DÉPARTEMENT DES
ANTIQUITÉS GRECQUES, ÉTRUSQUES ET ROMAINES
MISSION E. MILLER, 1865

Chapiteau corinthien

marbre de Thasos (Aliki)

H. 88 ; l. maximale 148 ; lit d'attente de l'abaque :
l. 90 cm

PARIS, MUSÉE DU LOUVRE, DÉPARTEMENT DES
ANTIQUITÉS GRECQUES, ÉTRUSQUES ET ROMAINES
MISSION E. MILLER, 1865

58 Ariane   *59 Léda et le cygne*

60

57 Aura   *56 Victoire tenant une guirlande*

61

Portrait de petite fille

début du IIᵉ siècle apr. J.-C.
provenance inconnue
atelier thasien (?)
marbre blanc de Thasos
H. 23 ; H. de la tête 20 cm

62

Relief votif avec des oreilles

début du Ier siècle av. J.-C.

provenance : Thessalonique, Sérapeion

marbre blanc

H. 27 ; l. 30 ; ép. 5 cm

THESSALONIQUE, MUSÉE ARCHÉOLOGIQUE

64

Pilier hermaïque
couronné d'un portrait

200-210 apr. J.-C.

provenance : Thessalonique, zone de la nécropole orientale,

cour du Musée archéologique

atelier attique

marbre blanc, probablement pentélique

H. 188 ; l. 30,7 ; ép. 25,5 cm

THESSALONIQUE, MUSÉE ARCHÉOLOGIQUE

47

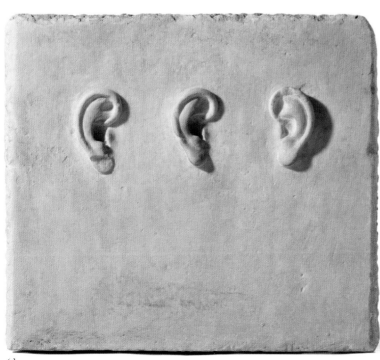

63

64

Le charisme du jeune roi de Macédoine explique les légendes nées de son vivant. Il descendait doublement de Zeus, par son père Philippe et par sa mère Olympias. Il fut vénéré en Égypte avant la fin du IVᵉ siècle av. J.-C. comme le héros fondateur de la ville – Alexandre Ktistès – mais aussi comme un dieu à part entière près de son tombeau, le *Sèma*. À l'époque romaine impériale, le culte du conquérant et de sa famille demeurait très présent en Macédoine, particulièrement à Thessalonique : une inscription du IIᵉ siècle atteste qu'il était qualifié de « Grand ». Dans les premières décennies du IIIᵉ siècle, les empereurs Caracalla et Alexandre Sévère prirent Alexandre comme modèle, suscitant la rédaction de nombreux poèmes épiques. Toute une littérature fabuleuse, déjà rassemblée à la fin du IIᵉ siècle av. J.-C., prit une ampleur nouvelle sous la forme d'un texte composite à la fin du IIIᵉ ou au début du IVᵉ siècle de notre ère.

Attribué au Pseudo-Callisthène, c'est le *Roman d'Alexandre* qui, traduit et adapté, fut largement diffusé auprès de différents peuples et dans de nombreux pays.

Cinq biographies sont parvenues jusqu'à nous : trois en grec, de Diodore de Sicile, de Plutarque et d'Arrien ; deux en latin, de Quinte-Curce et de Justin. Ces auteurs s'inspiraient de textes plus anciens, dont ne sont conservées que des bribes. Nombreux furent en effet les récits de l'expédition en Orient : parmi les premiers historiens d'Alexandre, certains appartenaient au clan aristocratique des Compagnons, les *hétairoi* éduqués avec lui, tels Néarque de Crète, navarque de sa flotte, et Ptolémée, l'un de ses généraux les plus brillants, devenu par la suite le premier pharaon grec d'Égypte. L'historiographe officiel d'Alexandre était Callisthène d'Olynthe, neveu d'Aristote. Il fut exécuté en 327 av. J.-C. pour avoir été impliqué dans un complot contre le roi.

S D L

65

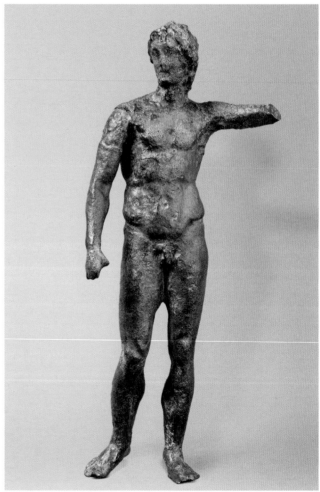

66

Statuette de jeune homme (Alexandre Pan)

début de la période hellénistique
découverte : Pella,
à l'ouest de la maison du Dionysos
marbre
H. 37,5 cm

PELLA, MUSÉE ARCHÉOLOGIQUE

Alexandre à la lance

époque hellénistique
(fin du IVᵉ av. J.-C.–IIIᵉ siècle av. J.-C. ?)
provenance : Basse-Égypte
production : Égypte
bronze
H. 16,5 cm

PARIS, MUSÉE DU LOUVRE, DÉPARTEMENT DES
ANTIQUITÉS GRECQUES, ÉTRUSQUES ET ROMAINES
COLLECTION CLOT-BEY, ACQUISITION, 1852